D1218215

Małgorzata Strzałkowska

Rady nie od parady

czyli
wierszyki z morałem

Dla Michała

Dla Zosi

Zilustrował
Marcin
Bruchnalski

Rady nie od parady

Wszystkie obrazki namalował
Marcin Bruchnalski

Na komputerze przetworzył i swoje dołożył
Wojtek Bedyński

Nad wszystkim czuwała
Kasia Platowska

Wydanie I

Wydawnictwo Czarna Owca Sp. z o.o.
(dawniej Jacek Santorski & Co Agencja Wydawnicza)
ul. Alzacka 15a, 03-972 Warszawa
e-mail: wydawnictwo@czarnaowca.pl
Dział handlowy: tel. (022) 616 29 36, 616 29 28
faks (022) 433 51 51
Zapraszamy do naszego sklepu internetowego:
www.czarnaowca.pl

Druk i oprawa
Łódzkie Zakłady Graficzne

ISBN 978-83-88875-30-4

Witaj, drogi czytelniku!
Chcesz nas wszystkich w książce spotkać?
To wspaniale! W takim razie
zapraszamy Cię do środka!

Każdy z nas ma jakieś wady,
chociaż często o tym nie wie.
Dobrze przyjrzyj nam się z bliska,
może gdzieś rozpoznasz siebie?

Każdy z nas ma jakieś wady...
Lecz choć bardzo byś się silił,
innych zmienić nie dasz rady.
Za to siebie – w każdej chwili!

Może więc czasami warto
zastanowić się nad sobą,
ciut pomyśleć i pomału
zmienić w sobie to i owo...

Ala, Ola, Ewa, Basia
oraz Krysia, Hania, Kasia,
Gocha z Zochą, Jurek, Staś
oraz Kazio, Kuba, Jaś,
Krzysiek, Michał oraz Marek,
Grzesiek, Tadek oraz Darek

Może potem...

Nasza Basia wprost nie znosi,
kiedy ktoś ją o coś prosi.
Odpowiada: – Może potem.
Jeśli będę mieć ochotę.
Lub inaczej: – Nie ma mowy!
Nie mam dziś do tego głowy.
Albo: – Teraz?! Coś takiego!
Teraz robię co innego!
I dodaje: – Szkoda gadać!
Ciągle wszystkim mam pomagać!

Aż pewnego razu w szkole
ciut się odwróciły role.
Teraz jest w potrzebie Basia,
a więc zwraca się do Jasia.
A Jaś na to: – Nie ma mowy.
Nie mam dziś do tego głowy.

Basia idzie więc do Zosi
i o pomoc Zosię prosi.
Zosia na to: – Może potem.
Jeśli będę mieć ochotę.

Biedną Basie aż zatkało!
Co im się, do licha, stało?!
Podumała, pomyślała,
no i wreszcie zrozumiała...

Patrzy – Krysia w ławce siedzi
i się nad czymś strasznie biedzi.
Biegnie więc do Krysi prędko.
– Może pomóc ci, Krysieńko?
Ale Krysia na to: – Nie chcę.
Może później. Jeśli zechcę.

Jeśli chcesz od innych brać,
to sam też coś musisz dać.

W ZOO

Każdy lubi iść do ZOO,
bowiem w ZOO jest wesoło!

Tyle zwierząt dookoła –
krokodyle, węże boa,
strusie, pandy, wilki, dziki,
jeże, żółwie, żubry, żbiki...

Tutaj hieny szczerzą pyski,
tam żyrafy skubią listki,
lew spoziera przez paprocie,
hipopotam fika w błocie,
wielki tygrys z nudy ziewa,
a słoń wodą się polewa!

Basia, Ala, Ola, Krysia
przystanęły obok misia,
a tymczasem Michał z Tadkiem
cichcem myk! pod małpią klatkę.
Przystanęli bardzo blisko...
– To dopiero widowisko!
– Jak ten goryl wali w kratę!
– No, gorylu, podaj łapę!

Ale goryl nie dał łapy,
tylko łapą siup! przez kraty!
Michałowi zerwał szalik,
po czym prędko się oddalił.

Michał spocił się z wrażenia,
zbladł jak płótno i zzieleniał...
– Wykonałem niezłą sztuczkę...
Lecz przynajmniej mam nauczkę –
nie pchaj ręki, gdzie popadnie,
bo ci małpa coś ukradnie...

Kto na swoje błędy zważa,
ten ich więcej nie powtarza.

Dekoracja

Pani w klasie powiedziała:
– Dekoracja się udała!
Jeszcze tylko ten portrecik...
Kto z was chciałby go zawiesić?
– Proszę pani! Ja spróbuję!
– Kryśka?! Ona coś zepsuje!
– Jeśli ci się, Krysiu, uda
to uwierzę chyba w cuda!
Ale proszę, oto szpilki...
Przypnij tam, gdzie te motylki...
Nie tak! Ojej! Zaraz spadnie!
Trzeba zrobić to dokładnie!
Nie mówiłam? Cała Krysia!
Siadaj, dziecko. Dość na dzisiaj.
Poprosimy chyba Basię.
Ona jest najlepsza w klasie.
Zawsze świeci nam przykładem,
więc tym razem też da radę.

Lecz choć Basia się starała,
tylko szpilki rozsypała.
– Coś ci, Basiu, nie wychodzi...
No cóż, trudno... Nic nie szkodzi...

Pani weszła na stołeczek,
wzięła szpilki i młoteczek...
Nagle – dziwnie się zachwiała,
dekoracji się złapała...
Zleciał portret, młotek, szpilki,
kwiatki, listki i motylki!

Pani wyszła z tego cało,
jakoś nic jej się nie stało,
lecz niestety nasz portrecik
już nadawał się do śmieci.

Nikt z nas nie jest doskonały –
ani duży, ani mały!

Ala i Ola

Siostry różnią się czasami.
Zresztą, posłuchajcie sami...

Pokój Ali tak wyglądał,
jakby w nim szalała trąba,
a bałagan taki w szafie,
że opisać nie potrafię!
Lecz na oknie – zaskoczenie! –
kwiaty piękne, jak marzenie,
wychuchane, wydmuchane,
wypieszczone i zadbane!

Pokój Oli, dla odmiany,
był calutki posprzątany,
książki ustawione w rządek,
wszędzie czystość i porządek.
Lecz na oknie – co za szok! –
rząd badyli raził wzrok,
bo w doniczkach, zamiast kwiatów,
stał dziwaczny tłum drapaków!

Ala się po głowie drapie:
– Ja posprzątać nie potrafię!
Biednej Oli rzednie minka:
– Ja się nie znam na roślinkach!

Siostry się zaczęły głowić,
jak to zmienić, co tu zrobić?...
W końcu problem rozwiązały –
odtąd sobie pomagały,
Ola – Ali, Ala – Oli,
chociaż każda w innej roli.
Do dziś robią to z radością,
więc pokoje lśnią czystością,
a w nich kwiatów rośnie mnóstwo,
z których każdy jest jak bóstwo.

Wszelka pomoc i współpraca
zawsze bardzo się opłaca.

Koledzy

Trudno o dziwniejszą parkę,
niż dwóch chłopców – Grzesiek z Darkiem,
bo co Grzesiek robić kazał,
Darek zaraz w czyn wprowadzał.

– Darek! Schowaj plecak Jurka!
Torbę pani wyjmij z biurka!
Z całej siły drzwiami trzaśnij!
Brzydki wyraz głośno wrzaśnij!
Powiedz panu „ecie pecie”!
Dorób wąsy na portrecie!
Drałuj w kucki pod tablicę!
Wyrzuć zeszyt na ulicę!

No i Darek grzecznie chował,
trzaskał, mówił i wyjmował,
czasem wrzeszczał, czasem kucał
i dorabiał, i wyrzucał.

Jeszcze długo by to trwało,
ale raptem coś się stało!
Otóż w pewien dżdżysty piątek
nagle zdarzył się wyjątek...

Grześ, jak zwykle, szturchnął Darka,
po czym rzekł, wskazując Marka:
– Podstaw gamoniowi nogę!
Darek na to: – Nie!!! Nie mogę!
Nie chcę z siebie robić błazna,
bo to postać niepoważna!
Tobie radzę też, kolego,
żebyś zrezygnował z tego!
Choćbyś miał mnie przestać lubić,
więcej nie dam się namówić!

Dość już tego, daję słowo!
Nie pozwolę rządzić sobą!

Biedna Śnieżka

Raz czytała książkę Gocha.
Dołączyła do niej Zocha
i nad książką pochylone
pochłaniały każdą stronę.

Tę historię obie znały,
ale kiedy przeczytały
„Echo głos puszczyka niesie,
Śnieżka błądzi sama w lesie...”,
Zocha w szloch, a za nią Gocha.
– Jaka podła ta macocha...
– Biedna Śnieżka... Sama... W borze...
– To jest gorzej, niż w horrorze...

Krzyś zdumiony spojrzał na nie,
po czym rzekł z niedowierzaniem:
– Co wy! To jest tylko bajda!
Wie to każdy niedorajda!
– Ale nas to bardzo wzrusza...
– Biedna Śnieżka... Ciemno... Głusza...
– Zaraz się królewicz zjawi
i los Śnieżki się poprawi!
– Ale jeszcze jej nie kocha...
– Właśnie... Masz chusteczkę, Zocha?...

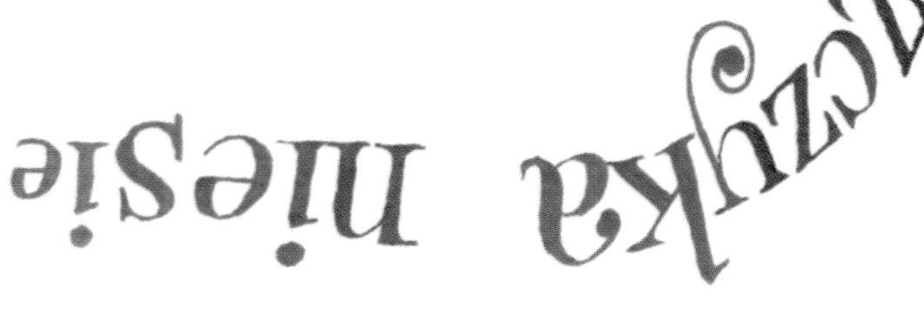

Krzyś dał w końcu za wygraną.
– I tak w kółko! Wciąż to samo!
Dobra. Muszę iść. Wybaczcie.
A wy dalej sobie płaczcie.

Gocha wpół objęła Zochę.
– Popłaczemy... jeszcze trochę...
– Taki smutek czuję w duszy...
– Biedna Śnieżka... Sama... W głuszy...

Kiedy smutek nas nachodzi,
to popłakać nie zaszkodzi.

Doświadczenie

Pani rzekła dziś uczenie:
– Przeprowadzę doświadczenie.
Oto jajko, a do tego...
Zaraz, zaraz... Coś takiego...
Niemożliwe... Nie ma jajka!
Przecież było! To nie bajka!
Cóż to znowu za zwyczaje?!
Kto je zabrał, niech oddaje!!!
Kaziu, to ty? Powiedz, proszę,
wiesz, że kłamstwa wprost nie znoszę!
– Nie ja! Słowo, proszę pani!
Nie ruszałem! Ani ani!
To ktoś inny... Zdaje mi się,
że to Tadek... Albo Krzysiek...

Nagle Michał z miejsca wstaje:
– Ja je zjadłem... Tak... Przyznaję...
Było takie duże, śliczne...
I niezwykle apetyczne...

Pani zbladła, sczerwieniała
i ze zgrozą wyszeptała:
– Chłopcze! Jajko doświadczalne
było całkiem niejadalne!
Miało przeszło dwa miesiące!
Mogło nawet być trujące!
Całe szczęście, żeś się przyznał!
Postąpiłeś jak mężczyzna!
Nie każdemu się to zdarza!
No a teraz – do lekarza!

I zbiegając po pięć stopni
popędzili do przychodni.

Miało przeszło dwa miesiące!

Prawdę zawsze warto mówić,
choć ją czasem trudno lubić.

Burza

Grześ jak burza wpadł do domu,
z hukiem, niczym echo gromu!
Do pokoju tata wchodzi.
– Dobra, synu. O co chodzi?
– Dziś w stołówce Jaś – padalec
wsadził mi do zupy palec!!!
I zwiał! Uszło mu na sucho...
Ale jutro dam mu w ucho!!!

– Głupio zrobił, co tu kryć,
ale po co zaraz bić?
Lepiej ciut się opanować.
A złość jakoś rozładować.
– Tak jak się rozbraja bombę?
Wolę Jaśka huknąć w trąbę!!!
Co innego wy, dorośli!
Wyście z tego już wyrośli,
więc mnie nie rozumiesz! Wcale!

– Ja? Rozumiem doskonale!
Mnie tak samo czasem kusi,
żeby kogoś... no... nauczyć!
Lub upomnieć, dajmy na to...
– I co wtedy robisz, tato?
– Nie wygadasz się nikomu?
Biegam dookoła domu...
– Serio? No i co? Skutkuje?
– Owszem. Zawsze. Gwarantuję!

Grześ wyskoczył na podwórze,
wokół domu gna, jak burza!
Za nim tata mknie jak cień.
Pewnie też miał ciężki dzień...

Gdy złość w sercu twym zagości,
to się staraj pozbyć złości.

Piegi

Krysia ma oczęta kocie,
nos garbaty, piegów krocie...

Koleżanki szepczą w kątach:
– Oj, ta Kryśka to wygląda!
– Każda z nas by oszalała,
gdyby też tak wyglądała!

Przez te szepty, tak to bywa,
Krysia niezbyt jest szczęśliwa.
Czasem woli zatkać uszy,
bo nielekko jej na duszy...

Aż raz w szkole ktoś umieścił
ogłoszenie takiej treści:
„Wielka gratka dla dziewczynek!!!
Pan reżyser Kapucynek
szuka odtwórczyni roli
w świetnym filmie „Strąk fasoli”!
Wymagania: nos garbaty,
buzia w piegi. Nic poza tym.”

I już następnego rana
rzecz się stała niesłychana!
Nosy Ali, Zosi, Ewki,
przedtem proste, jak marchewki,
teraz są nie do poznania!
Nos zmieniła nawet Hania!
A do tego wszystkie mają
buzie jak indycze jajo!

Mruknął Krzysiek: – Zdaje mi się,
że tu widzę same Krysie...
Ale dziwna rzecz się stała –
żadna z nich nie oszalała...

Zawsze lepiej jest pomyśleć,
zamiast chlapnąć coś bezmyślnie.

Tak i siak

Na parterze mieszka Tadek,
straszny urwis i gagatek.
Dobrze jest sąsiadom znany,
lecz nie bardzo jest lubiany.
Tu coś burknie, tam coś mruknie,
tu coś szturchnie, tam w coś huknie,
wciąż łokciami się rozpycha,
młodszych trąca i popycha,
a czasami i tak bywa,
że niegrzecznie się odzywa.

Wzdycha sąsiad i sąsiadka:
– Ale ziółko z tego Tadka!
– Wciąż się kłóci z sąsiadami!
– Szkoda, że tu mieszka z nami!

Minął miesiąc. Ten sam Tadek,
niegdyś urwis i gagatek,
dobrze jest sąsiadom znany
i przez wszystkich jest lubiany.
Mówi „proszę” i „dziękuję”,
chętnie starszym ustępuje,
tu pomoże, tam coś wniesie,
tu coś poda, tam przyniesie,
zawsze miły i uczynny –
ten sam, ale całkiem inny!

Wzdycha sąsiad i sąsiadka:
– Miły chłopak z tego Tadka...
– W zgodzie żyje z sąsiadami...
– Dobrze, że tu mieszka z nami...

To uprzejmość, bez wątpienia,
atmosferę wokół zmienia.

Urodziny

Na przyjęciu u Michała
cała klasa harcowała.
Tylko Jaś się w kącie schował
i z zapałem pałaszował –
babkę, ptysia, rurkę z kremem,
kisiel, pączka, budyń z dżemem,
bajaderkę, lody, sernik
tort wiśniowy, biszkopt, piernik...

W końcu usiadł na kanapie,
racząc jeszcze się lizakiem...
Pomrukuje, sapie, wzdycha...
– Ale pycha!... Ale pycha!...

Kto nań spojrzał spośród gości,
nie mógł ukryć wesołości!
Jaś to spostrzegł i rzekł gniewnie:
– Nie pozwolę śmiać się ze mnie!

Już miał zrobić awanturę,
gdy wtem się odezwał Jurek:
– Zaraz ci zrobimy zdjęcie!
Uwiecznimy to przyjęcie!
Zamiast zgrzytać zębiskami,
będziesz śmiał się razem z nami!

Pstryk! i zdjęcie już gotowe,
bardzo ładne, kolorowe...
Janek najpierw zerknął bokiem,
potem mrugnął jednym okiem...
Nagle... jak nie parsknie śmiechem!
– Rzeczywiście, widok w dechę!
Brwi wiśniowe, piegi z dżemu,
a na nosie – ślimak z kremu!

Dobrze czasem śmiać się z siebie
zamiast się zaperzać w gniewie!

Coś strasznego

Hania coś zrobiła Ewie.
Coś strasznego. Co? Nikt nie wie.
Nawet Ewa, choć wiedziała,
też już dawno zapomniała,
jednak wciąż jest obrażona.
Chodzi zła, naburmuszona
i namawia koleżanki,
żeby unikały Hanki.
– Ja tej Hance nie daruję!
Ona tak mnie denerwuje!
Ja tej jędzy wprost nie znoszę!
Jak ją dorwę, wypatroszę!

Dookoła coś się dzieje,
słychać krzyki, ktoś się śmieje,
tylko Ewa, z miną smoka,
z Hanki wciąż nie spuszcza oka.
Mars na czole, drżą jej dłonie...
Za chwileczkę siarką zionie!

Tak to trwało, trwało, trwało...
Ale wreszcie się urwało.

Pomyślała w końcu Ewa:
– Po co ja się na nią gniewam?...
Ona się tym nie przejmuje,
a ja się okropnie czuję...

Kiedy Hankę dziś spotkała,
z raźną miną powiedziała:
– Ja już się nie gniewam! Wcale!
Na to Hanka: – To wspaniale!

I za ręce się złapały,
i w podskokach gdzieś pognały.

Kto nauczy się wybaczać,
ten z radości będzie skakać!

Kłótnia

Po południu przy trzepaku
stało sobie dwóch chłopaków.
Wtem tak kłócić się zaczęli,
że sąsiedzi oniemieli!
Gruby jamnik pana Jurka
drobnym truchtem zwiał z podwórka,
wszystkie wróble z okolicy
dały nura do piwnicy,
mysz uciekła po drabinie
i schowała się w kominie,
a wiatr zawył coś żałośnie,
po czym uciekł, gdzie pieprz rośnie!
– Ja ci mówię, że trzydzieści!
– A nieprawda, bo czterdzieści!
– Jesteś głupi, jak ta lala!
– Patrzcie, znalazł się mądrala!
– Powtórz! Powtórz, to dostaniesz!
– To ja tobie spuszczę lanie!

Obok chłopców stanął Krzysiek.
– O co wy się tak kłócicie?
– Na podwórku, tam przy płocie,
liczyliśmy ślady w błocie!
– Ale on się ciągle myli!
– Uspokójcie się w tej chwili!
Zamiast krzyczeć, razem idźcie
i od nowa je policzcie!
– Całkiem mądre rozwiązanie!
– Że też nie wpadliśmy na nie!
– Chodźmy liczyć ślady w błocie!

No i było po kłopocie!

Zamiast kłótni, wrzasków, ryku,
rozwiąż problem – i po krzyku!

Bazie

Wszystkie dzieci na Dzień Matki
malowały dla mam kwiatki.
Ala – fiołki, Ola – dalie,
Basia – róże i konwalie,
Zosia – białe pelargonie,
Ewa – maki, Grześ – lewkonie,
Michał – dzwonki, Krzyś – goździki,
Tadek z Jurkiem – słoneczniki.

Pani w klasie się przechadza,
tu popatrzy, tam doradza...
Zatrzymała się nad Kaziem.
– Ojej! Co to?!
– To? To bazie!
– To są bazie? Mnie się zdaje,
że gryzmoły i maziaje!
Popatrz, jak malują dzieci –
tu wiązanka, tam bukiecik...

I już słychać z lewa, z prawa:
– To laurka?! To szkarada!
– Czy to siano? Czy to osty?
– Raczej jakieś wodorosty!
– No, ja nie wiem, co się stanie,
kiedy to pokażesz mamie!
– Ale wpadka!
– Ale plama!

Lecz gdy się zjawiła mama,
pochyliła się nad Kaziem.
– Ojej, jakie piękne bazie!
Patrzcie, jak mój syn maluje!
Bardzo, synku, ci dziękuję!

Znaleźć piękno to jest sztuka,
lecz go zawsze warto szukać!

Dryblasy

Staś i Kuba z trzeciej klasy
to największe dwa dryblasy.
I choć obaj czasem psocą,
lubią innym przyjść z pomocą.

W pewien piękny czwartek w maju
szli ulicą do tramwaju.
Szli ulicą, a na skwerku
jechał maluch na rowerku.
Patrzą, a tu nagle z krzaków
wyskakuje trzech chłopaków
i podbiega do malucha:
– Serwus, mały! Ale upał!
Co? Na lody masz ochotę?
No to dawaj cztery złote!
Chlipnął cienkim głosem malec:
– Ja już wam nie wierzę... Wcale...
Wczoraj cztery złote dałem...
Ale lodów nie dostałem...

Dryblas – Kuba warknął cicho.
– No, panowie, co za licho?
Chłopcu lody kupić pora!
Już zapłacił za nie! Wczoraj!

A Staś – dryblas wtrącił z boku:
– My wam dotrzymamy kroku,
byście gdzieś się nie zgubili!
No, idziemy, bo czas pili!

Minął kwadrans i, rzecz prosta,
maluch swoje lody dostał,
bo gdy dryblas nie żartuje,
każdy przed nim respekt czuje!

Każdy duży i silniejszy
pod opiekę bierze mniejszych!

Chmurna Kasia

Katarzyna jest ponura,
chodzi jak gradowa chmura,
zła, posępna, nadąsana
i markotna już od rana.

Chmurną Kasię, po kolei,
wszyscy chcieli rozweselić,
ale Kasia, jak to ona,
była wciąż naburmuszona.

Każdy pyta Katarzynę:
– Czemu wciąż masz chmurną minę?
– Może jakieś masz problemy?
– My ci chętnie pomożemy!
– Świat nie zawsze jest ponury!
Na to Kasia z miną chmury:
– Szkoda starań i zachodu.
Jestem chmurna bez powodu.

– A nie możesz – Jaś zawołał –
bez powodu być wesoła?!
Jak to zrobić? My już wiemy,
więc ci zaraz pokażemy!
Proszę państwa! Bomba w górę!

I parsknęli wszyscy chórem:
Ala, Ola oraz Gocha,
Krysia, Hania oraz Zocha,
Basia, Ewa, Jurek, Staś,
Grzesiek, Kazio, Kuba, Jaś,
Michał, Tadek, Krzysiek, Marek,
no i oczywiście Darek.

A gdzie Kasia? Z boczku stała
i nieśmiało chichotała...

Kto z uśmiechem mknie przez życie,
ten się czuje znakomicie!

Spis treści: